Lars lust geen sommen

Saskia Hula

Lars
lust geen sommen

met illustraties van Ute Krause

Clavis

In dezelfde reeks verscheen

Lars lust geen boeken

Saskia Hula
Lars lust geen sommen
© 2009 Patmos Verlag GmbH & Co. KG, Sauerländer Verlag, Düsseldorf
© 2010 voor het Nederlandse taalgebied:
Clavis Uitgeverij, Hasselt – Amsterdam – New York
Illustraties: Ute Krause
Omslagontwerp: Clavis Uitgeverij
Vertaling uit het Duits: Roger Vanbrabant
Oorspronkelijke titel: *Der Mathemuffel*
Oorspronkelijke uitgever: Patmos Verlag GmbH & Co. KG, Sauerländer Verlag, Düsseldorf
Trefw.: sommen, rekenen, vakantietaak
NUR 282
ISBN 978 90 448 1282 4
D/2010/4124/067

www.clavisbooks.com

Inhoud

1. Lars heeft een vakantieschrift

De zomervakantie is er om te kunnen doen wat je wilt. Zo denkt Lars er toch over. In de zomervakantie kun je naar een boerderij gaan of naar de bergen of naar zee. Je kunt gaan zwemmen of met een bootje varen of paddenstoelen zoeken. Je kunt rustig alle afleveringen van *The Simpsons* bekijken. Als het echt niet anders kan, kun je zelfs een boek lezen. Alleen voor één zaak is de zomervakantie er zeker niet: om in een rekenschrift sommen te maken!

Het vakantieschrift is echt weer zo'n uitvinding van juffrouw Boeket, de juf van Lars.

Ze is vast bang dat de kinderen tijdens de vakantie alles vergeten wat ze bij haar geleerd hebben. En dat ze in september niet meer kunnen rekenen. Daarom geeft juffrouw Boeket alle kinderen een rekenschrift mee voor de vakantie. Aan de buitenkant ziet het er wel leuk uit: er staan dieren op, die je kunt inkleuren. Maar zodra je het openslaat, ziet het er niet meer leuk uit! Want het schrift telt zowat honderd rekenbladzijden en daar staan ten minste tienduizend sommen op.

Het schrift ligt groot en dik op de schrijftafel van Lars. En elke keer als hij zijn speelkaarten van Kolonisten van Catan op het tafelblad wil leggen, moet hij het schrift wegleggen. Echt elke keer. Omdat het daar elke keer weer ligt.

Eerst legt Lars het vakantieschrift in de onderste

lade van zijn schrijftafel, waar allerlei spullen liggen die
hij niet meer nodig heeft. Daar kan het eigenlijk best
blijven liggen.

Maar het blijft er niet liggen. De volgende dag al
ligt het weer in het midden van zijn schrijftafel, met
een geslepen potlood erop. Lars stopt het potlood
in het pennenbekertje en het vakantieschrift in zijn
schooltas. Daar hoort het tenslotte te zitten. Dan gaat
hij naar het zwembad en oefent hij het duiken van de
eenmeterplank.

Als hij terugkomt, ligt het vakantieschrift weer op zijn schrijftafel. Nu zonder potlood. Hij legt het schrift onder zijn matras en voert zijn vissen. Want het is niet omdat het vakantie is dat hij niets te doen heeft!

Maar mama vindt het vakantieschrift ook onder de matras. Ze vindt het achter het aquarium, op de kast en zelfs in de strijkmand. En elke keer legt ze het terug op zijn schrijftafel.

Net als Lars het schrift samen met twee oude kranten in de doos met oud papier wil stoppen om het voorgoed kwijt te zijn, komt ze uit de keuken.

'Nu is het uit!' roept ze. 'Dat is toch belachelijk!'

Lars kijkt somber toe als ze het vakantieschrift uit de doos trekt. Ze strijkt het liefdevol glad.

'Je zult toch ooit aan het rekenen moeten,' zegt ze. 'Je kunt het dus maar beter niet blijven uitstellen. Je weet dat je de laatste week van de vakantie naar oma en opa gaat. Daar zul je nog minder zin hebben om te rekenen!'

'Niet waar,' zegt Lars. 'Bij oma en opa reken ik veel liever.'

Mama knijpt haar ogen halfdicht. 'Dat zeg je nu zomaar.'

Maar Lars schudt zijn hoofd. Het idee bevalt hem eigenlijk wel.

'Bij oma en opa kan ik me veel beter concentreren,' beweert hij. 'Bovendien is het belangrijk dat je je in de vakantie ontspant. Dat heeft juffrouw Boeket zelf gezegd. We moeten pas aan het eind van de vakantie rekenen, als we helemaal ontspannen zijn.'

Mama kijkt hem onderzoekend aan. 'Heeft juffrouw Boeket dat echt gezegd?'

Lars knikt. Zo ongeveer heeft ze het echt gezegd, dat herinnert hij zich nu ineens heel duidelijk.

'Dan moet je je vakantieschrift maar meenemen naar oma en opa,' zegt mama. 'Weet je zeker dat je dat wilt?'

Ja, dat weet Lars heel zeker.

'Kun je het hele vakantieschrift in één week invullen?'

'Tuurlijk. Makkelijk!'

'Goed dan, wat je wilt …'

'Ik doe dat wel,' zegt Lars en hij neemt het vakantieschrift uit haar hand. 'Je mag erop rekenen! Als ik terugkom, is het helemaal ingevuld!'

2. Lars pakt zijn spullen

Zomervakanties zijn super. Er is maar één ding mis mee: ze zijn veel te kort.

Lars heeft het duiken van de eenmeterplank nog maar net goed onder de knie als hij zijn koffer al moet pakken om naar oma en opa te gaan.

'Ik kan wel in mijn eentje pakken,' zegt hij.

Hij gooit zijn gameboy, een korte broek, een paar T-shirts en zijn coole zonnebril in de koffer.

'Jaja,' zegt mama. 'Ik help je toch maar een beetje.'

Ze haalt zijn dikke trui, want het kan koud worden. En een hoestdrankje, want hij kan kouvatten. Rubber-laarzen, want het kan regenen. Een boek met verhalen over indianen, want hij kan zich vervelen. En ook twee lange broeken, vijf paar sokken, zeven slipjes, een pet tegen de zon, zijn tandenborstel en het vakantieschrift.

Dat komt ervan als volwassenen je helpen!

Oma en opa begrijpen niets van het vakantieschrift.

'Moet jij in de vakantie rekenen?' roept opa verontwaardigd. 'Wat is dat toch met al die moderne dingen?'

'En dat terwijl wij zo veel plannen gemaakt hebben!' jammert oma.

Lars laat zijn hoofd hangen. Misschien had hij het rekenen toch maar beter niet uitgesteld. Maar nu is het te laat.

'Als ik terug naar huis ga, moet ik klaar zijn met het vakantieschrift,' zegt hij verdrietig. 'Dat heb ik mama beloofd.'

Oma schudt haar hoofd.

Opa ook. En dan knijpt hij ineens zijn ogen tot spleetjes.

'Je moet dus klaar zijn met dat vakantieschrift?' vraagt hij.

Lars knikt.

'Maar het maakt niks uit wie de sommen gemaakt heeft?'

Lars aarzelt. Niks uitmaken? Zo zou hij dat niet

zeggen. En ook mama zou het heel zeker zo niet zeggen.

'Heb je beloofd dat je die sommen zelf zult maken?' vraagt opa.

Nee, dat nu ook weer niet.

'Wel, dan zullen we er wel voor zorgen dat je je vakantieschrift helemaal in orde kunt meenemen!' zegt opa nijdig. 'En jij doet ondertussen wat leukers! Afgesproken?'

Lars knikt opgelucht.

Oma en opa vinden natuurlijk andere dingen leuk dan Lars.

The Simpsons vinden ze bijvoorbeeld niet zo leuk. En met een gameboy lopen ze ook niet hoog weg.

Ze gaan liever wandelen en met een bootje varen. Ze zijn zelfs een beetje ouderwets. Maar het is in elk geval beter dan rekenen!

3. Lars plukt frambozen

Maandagochtend. Lars slaapt lang uit. Pas als de zon zijn neus kietelt, gaat hij naar beneden.

Oma zit aan de keukentafel in haar kookboeken te bladeren.

'Wat zal ik klaarmaken?' mompelt ze. 'Een avocadoslaatje met limoencrème? Of misschien toch maar een peer-gembersoepje?'

Lars vertrekt zijn gezicht. 'Maak toch gewoon noedels met rode saus,' stelt hij voor.

'Jaja,' zegt oma en ze bladert rustig verder. 'Je krijgt je noedels. Maar ik zoek nog een recept voor zaterdag!'

'Wat mij betreft, kunnen we zaterdag ook noedels met rode saus eten,' zegt Lars. 'Of spaghetti met bolognesesaus.'

Oma lacht. 'Dat zou een beetje gek zijn!' zegt ze.

'Zaterdag moet ik immers voor mijn Perfecte Diner zorgen!'

Het Perfecte Diner is een soort wedstrijd tussen oma en haar vriendinnen. Ze maken om de beurt avondeten klaar voor alle anderen. Want dat is een diner: avondeten. Maar wel geen gewoon avondeten: er worden ongewone gerechten klaargemaakt, die er heel mooi uitzien en waarvan het recept erg ingewikkeld is. En wie het best gekookt heeft, wint.

Oma klapt het kookboek dicht. 'Ik zal wel iets

vinden. Nu gaan we samen naar de tuin om de laatste
frambozen te plukken! Goed?' Ze geeft Lars een
samenzweerderig knipoogje. 'En daarna zal ik een paar
bladzijden in je rekenschrift invullen!'

Lars knikt tevreden. Hij heeft altijd graag frambozen
geplukt. Hij eet snel zijn boterham met honing op en
drinkt zijn kopje chocolademelk leeg. Dan loopt hij met
oma mee naar de frambozenstruiken.

Al zijn het de laatste frambozen, het zijn er nog een
heleboel.

Oma geeft Lars een kom. 'Je kunt het wel in je
eentje, hè,' zegt ze. 'Dan kan ik ondertussen al wat
kruiden afknippen.'

Eigenlijk ging het over helpen, niet over in zijn eentje
doen. Maar tenslotte zal oma Lars ook niet alleen
maar helpen met zijn rekenschrift. Hij plukt de eerste
frambozen en legt ze in de kom. Aan de takjes van
de struiken zitten stekels en hij moet dus oppassen.
Jammer genoeg is het een grote kom en de frambozen
zijn klein. Lars plukt en plukt en plukt, maar hij ziet in
de kom haast niet dat het er meer worden. De zon
steekt. Er zoemt een vlieg om zijn hoofd. Zijn handen
zijn al plakkerig. Blijkbaar is frambozen plukken alleen

maar in het begin leuk. Helemaal in het begin.

Uiteindelijk komt oma toch terug en ze werpt een blik in de kom. 'Heel goed gedaan,' zegt ze. 'Maar we moeten er wel nog wat meer plukken.'

Lars veegt het zweet van zijn voorhoofd. De zon steekt nog altijd en de vliegen zoemen. Frambozen plukken is vast een van de zwaarste klussen die er bestaan.

'Misschien maak ik als dessert wel frambozentaartjes met geraspte kokos,' zegt oma nadenkend. 'Of geflambeerde mango's op een frambozenspiegel. Wat denk je, Lars?'

Lars denkt gewoon niets. Hij is volkomen uitgeput.

Opa komt nu ook naar de tuin. 'Wat zou je denken van een kort boottochtje voor het middageten?' roept hij naar Lars.

Daar hoeft Lars niet lang over na te denken. Zo uitgeput is hij nu ook weer niet!

4. Lars vindt een vogel

Dinsdag. Lars helpt opa het gras maaien.

Opa heeft een grasmaaier waarop je kunt zitten zoals op een kleine tractor. Lars vindt het jammer dat hij niet op de grasmaaier mag zitten. Hij moet immers het gras bijeenharken.

Gewone grasmaaiers vangen het gras dat ze maaien op in een bak. Die bak moet voortdurend leeggemaakt

worden als hij vol is. Maar dat wil opa niet. Hij vindt dat
zo'n bak veel te vaak vol is. Hij wil niet voortdurend
van de grasmaaier stappen en de bak losmaken
en leegschudden en weer vastmaken. Hij rijdt liever
zonder bak door de tuin en laat de grasmaaier gewoon
maaien. Maar dan moet natuurlijk iemand anders het
afgemaaide gras bijeenharken. En die iemand is Lars.

Jammer genoeg is harken niet echt spannend. Het
is altijd hetzelfde: harken en harken en harken … En de
zon brandt ook weer zo fel!

Bovendien doen de armen van Lars al snel pijn door
het harken en zal hij vast blaren op zijn handen krijgen.
Hij heeft echt geen zin meer om te harken. Maar ineens
denkt hij weer aan zijn vakantieschrift.

Oma is gisteren jammer genoeg niet meer aan
sommen maken toegekomen. Ze heeft de hele avond
tussen haar kookboeken gezeten! Maar volwassenen
kunnen vast veel sneller rekenen dan kinderen, ze
zal het dus wel weer inhalen. En vanavond moet opa
ook sommen maken. Daarom mag hij nu met zijn
grasmaaier zonder bak door de tuin rijden.

Ineens ziet Lars iets bewegen onder een struik.
Nieuwsgierig bukt hij zich. Er zit een jonge vogel onder

de struik en die kijkt hem met zwarte kraaloogjes aan. Hij komt nogal onhandig naar hem toe gehuppeld.

Lars weet best dat je jonge dieren niet mag aanraken. [illustratie p. 28] Maar plots verschijnt de zwarte kat van de buren achter de vogel. Geluidloos en met zwaaiende staart. Zo snel als hij kan, pakt Lars de vogel op en drukt hij hem tegen zijn borst.

Het is vast veel minder erg een jong diertje aan te raken dan gewoon toe te kijken terwijl het opgepeuzeld wordt!

De vogel wriemelt onrustig in de hand van Lars. Hij voelt het hartje van het diertje heftig kloppen.

Hij loopt naar opa, die de grasmaaier meteen stilzet.

'Wat hebben we daar nu?' zegt hij. 'Een vogeltje!'

'De kat wilde hem opeten!' zegt Lars. 'En hij kan nog niet vliegen!'

Opa knikt grimmig. 'Katten zijn heel gevaarlijk voor vogeltjes die nog niet vliegvlug zijn.'

'Wat gaan we ermee doen?' vraagt Lars. 'We kunnen hem toch niet zomaar vrijlaten?'

'We zullen het gewoon houden tot het goed kan vliegen,' zegt opa en hij klinkt helemaal niet triest. Opa houdt immers heel erg van dieren, maar hij mag er geen houden, want anders foetert oma. Maar tegen zo'n vogeltje kan ze toch geen bezwaar hebben. Het

is tenslotte een zaak van leven of dood! En het is toch maar voor een paar dagen!

'We moeten het in een kooitje stoppen,' zegt opa en hij krabt aan zijn oor. 'Er moet hier nog ergens een oud vogelkooitje ...'

Ze vinden het oude vogelkooitje in het schuurtje. Het is echt heel oud en ook nogal beschadigd. Opa begint het meteen te repareren, wat helemaal niet gemakkelijk is.

Lars zit naast hem en houdt de vogel vast. Als opa klaar is, zet Lars hem in het kooitje. De vogel spert zijn bek open en stoot een luid gepiep uit.

'Het heeft honger,' zegt opa. 'We zullen wat graantjes halen.'

Maar de vogel lust geen graantjes. Hij kijkt er niet eens naar. Hij zit met wijd opengesperde bek te piepen op de bodem van het kooitje.

'Broodkruimeltjes,' stelt Lars voor. 'Of beschuitkruimeltjes?'

Maar de vogel lust ook geen brood en geen beschuit.

Opa schudt radeloos zijn hoofd.

'Nu blijft er alleen nog dierlijk voer over,' zegt hij. 'We kunnen het met sprinkhanen proberen.'

Dus lopen Lars en opa naar de weide achter het huis en daar vangen ze een paar sprinkhanen.

En ja, hoor: zodra de vogel de sprinkhanen ziet, stort hij zich erop! De ene sprinkhaan na de andere verdwijnt in zijn bek. Zo snel dat Lars het haast niet kan volgen.

Lars vindt het wel een beetje erg voor de sprinkhanen. Maar wat kunnen ze anders doen? De vogel wil gewoon niets anders eten!

'Zo gaat dat nu eenmaal in de natuur,' zegt opa. 'Eten en gegeten worden.'

Ja, zo kun je het natuurlijk ook bekijken, denkt Lars. Zolang je maar geen sprinkhaan bent …

5. Lars schildert muren

Woensdag. Vandaag moet de eetkamer geschilderd worden.

Oma heeft eindelijk het juiste recept voor het Perfecte Diner gevonden. En nu wil ze dat de kleur van de muren van de eetkamer bij het eten past.

'Ik stel voor ze zalmrood te schilderen,' zegt ze met

een dromerige blik in haar ogen. 'Niet te licht en
niet te donker. En breng nu toch eens eindelijk die
verschrikkelijke vogel naar buiten.'

De vogel heet Kalle. Hij voelt zich erg goed en heeft
voortdurend honger. Hij is verzot op sprinkhanen. Lars
en opa kunnen er gewoon niet genoeg vangen.

Terwijl ze aan het schilderen zijn, moet Kalle in elk
geval de hele tijd alleen blijven, zonder sprinkhanen.
Anders zal oma zeker boos worden.

Lars vindt schilderen best een fijn klusje. Het is
leuk werk. Toch hoopt hij dat het niet te lang zal
duren. Vandaag moeten opa en oma immers eindelijk
sommen gaan maken!

Voor ze kunnen schilderen, moet de eetkamer natuurlijk eerst helemaal leeggehaald worden.

Lars en opa brengen alle meubels naar de tuin: de grote eettafel, de acht stoelen, de staande lamp, het tapijt, de kasten, vijf schilderijen, de boekenkast en zeker honderd boeken.

Oma plakt ondertussen de deurlijsten af, zodat er geen verf op terecht kan komen. Ze doet dat erg zorgvuldig en het duurt een hele tijd.

Uiteindelijk kunnen Lars en opa toch gaan schilderen. Jammer genoeg is de eetkamer behoorlijk groot en zijn er heel wat plekken waar ze met de verfrol niet bij kunnen. Daar moeten ze met een kwastje schilderen. En dat schiet natuurlijk niet op.

Om Kalle niet te laten verhongeren, lopen Lars en opa tussendoor naar de weide om een paar sprinkhanen te vangen.

Als ze eindelijk klaar zijn met schilderen, vindt oma hier en daar toch nog een plekje dat niet helemaal goed gedaan is.

'Ga daar nog maar een keertje over met de kwast!' roept ze. 'En dat hoekje hier kan ook nog een likje verf hebben!'

Uiteindelijk hebben ze de eetkamer ten minste drie keer geschilderd. Maar alles ziet er nu ook piekfijn uit.

Oma is gelukkig. Lars en opa zijn moe.

Terwijl oma alle afplakstroken verwijdert, zitten Lars en opa in de tuin.

'Ik heb overal pijn!' kreunt opa. Hij leunt achterover op zijn ligstoel en een paar minuten later begint hij al te snurken.

Hij ziet er echt niet uit alsof hij vandaag nog sommen zal maken in het rekenschrift.

6. Lars voelt zich onzeker

Donderdag. Lars en oma rijden naar de stad om Sofie van de trein af te halen. Sofie is de beste vriendin van Lars. Daarom mag ze ook een paar dagen naar oma en opa komen, al zijn ze natuurlijk haar oma en opa niet.

Opa blijft thuis bij Kalle. Tenslotte is Kalle nog piepjong en heeft hij iemand nodig die voor hem zorgt.

Onderweg naar het station zou oma meteen alles gaan kopen wat ze voor haar Perfecte Diner nodig heeft. Voor een bijzondere maaltijd heb je natuurlijk bijzondere ingrediënten nodig. En bijzondere ingrediënten kun je blijkbaar alleen maar in bijzondere winkels kopen. Hoe kan het anders dat ze van de ene winkel naar de andere lopen en nog altijd niet alle ingrediënten hebben, denkt Lars.

'Hebt u echt geen zwarte linzen?' vraagt oma

nu al voor de achtste keer en ze schudt wanhopig
haar hoofd. 'Geen zomertruffels? En geen
orchideeënblaadjes?'

Gelukkig moeten ze stipt op tijd naar het station.
Anders zou oma vast de hele dag door de stad lopen
en ingrediënten kopen!
Sofie vindt de zalmrode eetkamer leuk. En Kalle vindt
ze zelfs nog leuker.

'En je mag hem zomaar houden?' zegt ze. 'Jij hebt
echt geluk met je opa en je oma!'

Lars is daar niet zo zeker van. Zijn vakantieschrift is immers nog altijd leeg.

'Vakantieschrift?' vraagt Sofie. 'Wat is dat nu weer?'

Sofie heeft er natuurlijk geen idee van wat zo'n vakantieschrift is. Ze zit in de b-klas en in de b-klas hebben ze helemaal geen vakantieschrift! Lars vindt dat niet eerlijk!

Sofie vindt het ook niet eerlijk. 'Zo veel rekenbladen!' zegt ze en ze begint ze te tellen.

Het zijn er wel geen honderd, maar toch wel vierentwintig. En dat is ook erg veel.

'En je opa en je oma moeten al die sommen maken?'

Lars haalt zijn schouders op. Ze hebben het wel

35

beloofd, maar veel tijd hebben ze niet meer. Maar vier dagen meer! Voor vierentwintig bladzijden!

'Dan moeten ze zes bladzijden per dag doen,' zegt Sofie. 'Zal hun dat wel lukken?'

'Jullie moeten nu toch echt aan het vakantieschrift beginnen,' zegt Lars bij het middageten. 'Anders red je het niet!'

'Is dat zo?' zegt opa. 'Is het zo veel? Goed dan, ik zal vanavond meteen twee bladzijden afwerken.'

Lars schudt zijn hoofd. 'Drie bladzijden,' zegt hij streng. 'En oma ook drie!'

Oma knikt schuldbewust. 'Je hebt volkomen gelijk,' zegt ze. 'Maar ik moet eerst mijn menu veranderen. Ik

heb immers geen zwarte linzen gevonden. Misschien maak ik toch maar beter jonge geitenkaas met ahornstroop. Dat past vast heel goed bij zalmpaté.'

Lars laat zijn ogen rollen.

'Het lukt ons wel,' zegt opa. 'Rustig het ene klusje na het andere. Eerst sprinkhanen vangen voor Kalle. Dan helpen jullie me het hout naar het schuurtje brengen. Anders hou ik helemaal geen tijd meer over om sommen te maken.'

Lars en Sofie vangen sprinkhanen voor Kalle. Daarna brengen ze het hout naar het houtschuurtje. Ze pakken telkens drie houtblokken. Dat is echt zwaar werk.

'Niet opgeven, hoor!' roept opa en hij loopt voorbij met wel tien blokken in zijn armen.

Lars werkt steeds trager. Zijn armen zijn erg moe. Hij
wil geen hout meer opstapelen.

Maar als hij er nu mee ophoudt, doet Sofie dat vast
ook. Dan moet opa het allemaal in zijn eentje doen!
En dan zal het nog veel langer duren! En dan zal
opa helemaal geen tijd meer hebben om sommen te
maken! Dus blijft Lars met houtblokken zeulen en Sofie
blijft hijgend achter hem aan sloffen. De stapel blokken
wordt langzaam hoger.

   Als al het hout in het schuurtje ligt, wrijft opa in
zijn handen. 'Nu hebben we wel een duik in de vijver
verdiend!' roept hij tevreden.

   Daar kan Lars niet veel tegen inbrengen. Hij wil opa
immers laten zien hoe goed hij al kan duiken.

7. Lars maakt het huis schoon

Elke vrijdag maakt oma het hele huis schoon.

'Eindelijk weet ik wat ik ga maken!' roept ze.
'In spekreepjes gerolde dadels en vijgen! Zalm in
een sausje met witte wijn! En om af te sluiten een

vruchtenexplosie met frambozenkorrels! Wat vinden jullie daarvan?'

'Geweldig!' Lars steekt zijn dweil in heet water en wringt hem netjes uit.

Het ligt voor de hand dat Lars en Sofie oma helpen. Ze mag immers geen uitvlucht hebben. Zodra het huis schoon is, moet ze beginnen te rekenen!

Het vakantieschrift is immers nog helemaal leeg. Het was vast geen goed idee het rekenwerk aan oma en opa over te laten.

'Vandaag beginnen we er heel zeker aan!' hebben ze al elke dag gezegd. Maar er is altijd wel iets tussen gekomen.

Oma denkt alleen maar aan haar Perfecte Diner. En opa heeft het in zijn hoofd gehaald dat Kalle moet leren vliegen. De vogel probeert dat nu voor het eerst te doen in de eetkamer. Daar glanzen de muren zo mooi zalmrood dat hij er wel niet tegen zal vliegen.

Oma is daar niet echt opgetogen over. 'Kun je niet beter met de kinderen gaan zwemmen?' roept ze. 'Straks maakt die vogel vlekken op mijn netjes geschilderde muren! En de kinderen willen ook wel eens iets leuks doen in de vakantie!'

'Dan moet jij voor sprinkhanen zorgen,' zegt opa.
'Anders verhongert dat arme vogeltje.'

'Jaja!' roept oma. 'Ik zorg daar wel voor! Ga nu
maar!'

Dus pakken opa, Lars en Sofie hun zwemspullen.

'Zullen we het vakantieschrift ook maar meenemen?'
vraagt Lars voorzichtig.

'Geen sprake van!' roept opa. 'Wil jij op zo'n
heerlijke dag sommen gaan maken? Nee, hoor, daar
wil ik niks over horen!'

Dus blijft het vakantieschrift thuis liggen.

Lars legt het op de keukentafel. Daar kan oma het
zien liggen als ze klaar is met schoonmaken. Misschien
heeft ze dan wel zin om een beetje te rekenen.

8. Lars moet wachten

Zaterdag. De dag van het Perfecte Diner.

Oma is al bloednerveus. Ze heeft zich in de keuken opgesloten en wil volledig met rust gelaten worden.

Opa moet zich met de kinderen bezighouden. En met Kalle natuurlijk.

'Vandaag laten we hem buiten vliegen,' zegt hij en hij klemt het vogelkooitje onder zijn arm.

Lars en Sofie dragen de picknickmand, die oma gevuld heeft.

Zo uitgerust, lopen ze naar het bos. Kalle huppelt nerveus heen en weer in het kooitje.

Op een kleine open plek in het bos blijven ze staan. Ze doen het deurtje van het kooitje open en eten frambozentaart.

Het duurt erg lang voor Kalle merkt dat het deurtje open is. Maar dan is hij niet meer te houden. Hij springt uit het kooitje en kijkt nieuwsgierig om zich heen. Dan spreidt hij zijn vleugels, klapt er een paar keer mee en vliegt naar een tak.

'Geweldig,' zegt opa. 'Dat gaat van een leien dakje!'

Kalle fladdert naar een andere tak en vandaar naar opa's schouder. Daar blijft hij zitten en hij kijkt opa brutaal aan.

'Misschien is dit geen goede plek,' zegt opa. 'We zullen een grote weide voor hem moeten zoeken.'

Ze stappen op. Opa met Kalle op zijn schouder en het kooitje onder zijn arm, Lars en Sofie met de picknickmand.

Ze moeten erg ver lopen voor ze bij een grote weide komen. En dan moeten ze nog heel lang wachten voor Kalle van opa's schouder wipt en wegvliegt.

'Tot ziens, Kalle!' zegt Sofie.

Opa kijkt een beetje triest voor zich uit. 'Kom op, naar huis!' zegt hij en hij snuit zijn neus in zijn grote zakdoek. 'Onze opdracht is volbracht!'

Met het vogelkooitje en de picknickmand gaan ze op weg. Als ze thuis aankomen, doen hun voeten pijn.

'En nu?' vraagt Sofie.

Opa geeuwt. 'Nu is het tijd om een beetje te rusten,' zegt hij en hij gaat in zijn fauteuil zitten.

Sofie gaat haar boek halen en begint te lezen.

Alleen Lars heeft niets te doen. Hij heeft geen zin om te slapen. Hij heeft geen zin om te lezen. Hij heeft niet eens zin om op zijn gameboy te spelen. Het liefst zou hij nu zijn vakantieschrift pakken en beginnen te rekenen. Maar het schrift ligt bij oma in de keuken. En oma mag nu in geen geval gestoord worden.

9. Lars kijkt op de klok

Zondag. Lars wordt al erg vroeg wakker. Iedereen slaapt nog. Zelfs oma, die altijd als eerste opstaat. Ze zal wel uitgeput zijn na haar Perfecte Diner!

Het was allemaal buitengewoon lekker. Dat zeiden de gasten toch. Lars en Sofie hebben alleen maar spaghetti met bolognesesaus gegeten. Je weet maar nooit …

Vanmiddag komt mama Lars en Sofie halen. Lars is nu al blij dat ze komt. Maar hij is minder blij omdat ze vast meteen zijn vakantieschrift zal willen zien. Hij staat met een zucht op en loopt naar de keuken. Daar ligt het vakantieschrift op tafel. Het ziet er nog precies uit zoals altijd. Om er zeker van te zijn kijkt Lars even naar de eerste bladzijde.

16 + 3, staat daar. En *24 - 2*.

Lars schudt zijn hoofd. Dat zijn sommen voor

kleuters! Die kan hij zelf ook wel maken! Hij haalt snel een potlood en begint te rekenen.

Op de tweede pagina staan opgaven met het cijfer 2. $4 x 2. 6 x 2. 2 x 2.$

Het potlood van Lars schiet over het papier.

Als hij het halve vakantieschrift al afgewerkt heeft, komt Sofie binnen.

'Mag ik ook een bladzijde doen?' vraagt ze.

'Zo meteen,' bromt Lars. 'Maar je moet precies schrijven zoals ik.'

Dat lukt Sofie wel. Ze maakt geen enkele fout op haar blad. Lars kijkt het natuurlijk even na. Hij wil immers geen enkele fout laten staan in zulke gemakkelijke sommen!

'Wedden dat ik de volgende bladzijde in minder dan vijf minuten kan doen?' vraagt Sofie.

Lars kijkt op de klok. Sofie doet het in twee minuten en dertig seconden!

'Nu ik!' zegt Lars. 'Kijk jij maar op de klok!'

Hij doet zijn bladzijde in twee minuten. Zelfs nu de sommen moeilijker worden!

Als oma en opa naar de keuken komen, is Lars net met de laatste bladzijde bezig.

'Wat doen jullie nu?' roept oma verbaasd. 'Dat zouden wij toch doen!'

'Ach, we hadden er ineens zin in,' zegt Lars.

Oma kijkt hem ongelovig aan. 'Is dat echt?'

Lars en Sofie knikken.

'Tja, als het zo zit, willen we ons natuurlijk niet opdringen,' zegt oma.

'Natuurlijk niet,' zegt opa. 'Je moet kinderen laten doen waar ze zin in hebben. Daarvoor is het tenslotte vakantie!'